roman rouge

Dominique et compagnie

Sous la direction de

Agnès Huguet

Marie-Danielle Croteau

Série Marie Labadie

Le secret du carnet bleu

Illustrations

Marie Lafrance

Catalogage avant publication de Bibliothèque et Archives Canada

Croteau, Marie-Danielle, 1953-
Le secret du carnet bleu
(Roman rouge ; 43)
(Marie Labadie)
Pour enfants de 6 ans et plus.

ISBN-13 : 978-2-89512-505-1
ISBN-10 : 2-89512-505-8
I. Lafrance, Marie. II. Titre.
III. Collection : Croteau, Marie-Danielle, 1953- . Marie Labadie.

PS8555.R618S42 2006 jC843'.54 C2005-942503-2
PS9555.R618S42 2006

Dépôts légaux : 3e trimestre 2006
Bibliothèque et Archives nationales du Québec
Bibliothèque nationale du Canada
Bibliothèque nationale de France

ISBN-13 : 978-2-89512-505-1
ISBN-10 : 2-89512-505-8
Imprimé au Canada

10 9 8 7 6 5 4 3 2 1

Direction de la collection et direction artistique :
Agnès Huguet
Conception graphique :
Primeau & Barey
Révision : Céline Vangheluwe
Correction : Corinne Kraschewski

Dominique et compagnie
300, rue Arran
Saint-Lambert (Québec)
J4R 1K5 Canada
Téléphone : (514) 875-0327
Télécopieur : (450) 672-5448
Courriel :
dominiqueetcie@editionsheritage.com
Site Internet :
www.dominiqueetcompagnie.com

Nous remercions le Conseil des Arts du Canada de l'aide accordée à notre programme de publication. Nous reconnaissons l'aide financière du gouvernement du Canada par l'entremise du Programme d'aide au développement de l'industrie de l'édition (PADIÉ) pour nos activités d'édition.

Nous reconnaissons l'aide financière du gouvernement du Québec par l'entremise du Programme de crédit d'impôt pour l'édition de livres – SODEC – et du Programme d'aide aux entreprises du livre et de l'édition spécialisée.

Chapitre 1

Un papillon blessé

Le soleil tape dur, aujourd'hui, à l'école des Coteaux Fleuris. On se croirait en plein été. Toutes les enseignantes, à part Élisabeth, en deuxième année, ont fermé les rideaux de leur classe. Babette, elle, a ouvert les fenêtres même si le vent fait voler ses papiers. Marie Labadie lui a demandé de ne pas cacher le soleil. Pour le cactus, d'abord, et pour elle aussi. Elle a froid. Malgré la chaleur,

Marie grelotte et Babette est fort inquiète.

Daphné, qui rêve de devenir ambulancière, court chercher le thermomètre à bonbons et l'apporte à Élisabeth :

– Prenons sa température !

L'enseignante ne peut s'empêcher de rire.

– Apporte-moi plutôt celui de la trousse de secours, s'il te plaît.

Daphné repart en trottinant. Pendant ce temps, Nathan réfléchit et décrète :

–Si Marie a de la fièvre, c'est parce qu'elle a des dents qui percent.

Pas étonnant ! Depuis qu'il a commencé à perdre ses dents, Nathan n'a que cela en tête. Babette réplique gentiment :

–Marie n'est plus un bébé, Nathan. Ce doit être autre chose…

Gaston lance aussitôt :

–Il n'y a qu'à le lui demander !

Marie ne répond pas. Elle s'est réfugiée sur le tapis de lecture. La pauvre enfant est recroquevillée dans un tas de coussins, les yeux fermés. Elle tremble. On dirait un papillon blessé.

Daphné revient avec le thermomètre. Babette le lave et le glisse dans la bouche de Marie. Tout en lui caressant le front, elle repense au jour où la petite fille est arrivée dans sa classe.

Babette était sortie avec ses élèves observer une éclipse solaire. Puis au retour, Marie Labadie était là, comme par enchantement, et le cactus était couvert de fleurs.

Depuis lors, il règne une ambiance un peu magique dans le groupe d'Élisabeth. À tout moment, la fillette tire de son sac à dos un objet intrigant. Un coquillage. Une graine rare. Une plante séchée. Et puis, elle raconte des histoires étonnantes.

Élisabeth se demande d'où vient sa nouvelle élève. D'un pays lointain ? D'une autre planète ? L'enseignante le croit, parfois, tant l'univers de Marie est différent de celui des autres enfants.

Et maintenant, il y a cette étrange maladie. Babette examine le thermomètre attentivement. Marie Labadie a le front brûlant et, pourtant, elle ne fait pas un seul degré de fièvre !

Chapitre 2

Quand le chat n'est pas là, les souris dansent

Élisabeth donne un exercice d'écriture aux enfants et fait un saut à la bibliothèque. À son retour, ses élèves sont occupés à faire toutes sortes de choses.

Sauf écrire.

Daphné rafraîchit le front de Marie avec l'éponge du tableau qu'elle a imbibée d'eau froide.

Nathalie mange ses deux goûters

en même temps. Une bouchée de réglisse, une bouchée de saucisse.

Mathieu s'est fabriqué un hameçon avec un trombone. Il l'a attaché au cordon de son soulier et il pêche. Il attrape des papiers dans la poubelle. Mais il en a raté plusieurs. Le plancher est couvert de détritus.

Sophie, Marlène et Martin confectionnent un piège à cauchemars.

Nathan se brosse les dents.

Gaston construit un château fort.

Hugo, lui, a grimpé sur une chaise et observe tout ça d'en haut. Soudain, il s'écrie :

– Venez voir ! Le cactus est malade, lui aussi !

Daphné se précipite aussitôt pour vérifier s'il a des boutons.

Jérémie se demande si la maladie de Marie Labadie ne serait pas contagieuse. Il est si inquiet que même Élisabeth ne parvient pas à le rassurer. C'est alors que Marie ouvre les yeux et murmure :

–Mon sac à dos, s'il vous plaît.

L'effet est immédiat. Les enfants se taisent et se dirigent vers le tapis de lecture comme s'ils étaient ensorcelés. Ils attendent sagement que Martin, désigné par l'enseignante, revienne avec le sac de Marie Labadie. Puis, à la demande de Marie, il le remet à Élisabeth et s'assoit avec les autres.

Babette soulève le sac et s'étonne : il ne pèse rien. Elle dénoue le cordon et enfonce sa main jusqu'au fond. Pas surprenant que ce sac soit si léger ! Il ne contient qu'un petit carnet bleu...

Daphné déclare :

– C'est un carnet de santé !

Nathalie se demande si ce ne serait pas plutôt un menu. Nathan,

lui, croit avoir aperçu un livret semblable chez le dentiste. Gaston les interrompt :

– C'est un passeport. Mon père en a un presque pareil. Le sien est bleu marin.

Élisabeth le corrige :

– On dit « bleu marine », Gaston. Pas « bleu marin ».

Marlène, qui n'écoute toujours qu'à moitié, ajoute :

–Eh bien ! celui de mon père aussi, il est bleu matin !

Hugo a profité de la discussion pour regrimper sur une chaise. Il lance :

–Moi, je crois que c'est un morceau de ciel cassé.

Marie sourit. Enfin ! Du haut de son perchoir, Hugo applaudit et s'écrie :

– Regardez le cactus ! Il a l'air d'aller mieux !

Mais personne ne réagit. Les enfants et Babette sont trop préoccupés par l'état de Marie pour l'entendre. La petite fille tend la main et l'enseignante y dépose le calepin. Marie le prend et le serre sur son cœur.

Soudain, on dirait qu'elle se sent mieux elle aussi…

Chapitre 3

Le carnet secret

Qu'y a-t-il, dans ce carnet, de si cher à Marie Labadie ? Il a suffi qu'elle le touche pour reprendre des couleurs. Les enfants ne peuvent s'empêcher de questionner leur amie.

Marie leur dit :

– C'est le livre de ma naissance.

Les élèves n'en ont jamais vu d'aussi petit. Ils en ont tous reçu un de leurs parents. Un jour, Babette leur a demandé de les apporter et

ils les ont regardés ensemble. C'était amusant. L'enseignante avait caché les noms sous les photos et les enfants devaient deviner qui étaient ces bébés.

Élisabeth raconte cette journée à Marie, qui n'était pas dans sa classe à ce moment-là. Puis elle ajoute :

– À ton tour, maintenant, de nous raconter ton histoire.

Marie s'empare de l'une de ses tresses et la tortille. Babette ne comprend pas pourquoi la petite fille a tant de mal à parler. Ce n'est pas du tout dans ses habitudes. Elle décide de venir à son secours.

– Quel jour es-tu née, Marie ?

La fillette répond faiblement :

– Le 15 mai.

Élisabeth s'exclame aussitôt :

– Les enfants ! C'est l'anniversaire de Marie, aujourd'hui !

Spontanément, les élèves se lèvent et font la ronde autour de leur amie. Ils lui chantent une chanson d'amitié que Babette leur a apprise.

Marie rougit. Un sourire apparaît sur son visage, mais des larmes silencieuses remplissent ses grands yeux verts. Babette se rapproche de la petite fille et l'entoure de ses bras. Elle se penche et lui murmure à l'oreille :

– Qu'est-ce qui ne va pas, ma chérie ?

– Je ne sais pas. J'ai chaud et j'ai froid en même temps. C'est toujours

pareil, le jour de mon anniversaire. Je suis chaque fois malade.

– Comment ta maman te soigne-t-elle ?

– Elle me fait prendre un bon bain et ça passe.

– Pourquoi n'es-tu pas restée à la maison dans ce cas ?

– Maman n'est pas là. Elle est en Indonésie, sur un bateau.

Babette est bouleversée.

– Qui s'occupe de toi, alors ?

Tous les jours, un jeune homme en moto conduit Marie à l'école et revient la chercher le soir. Mais l'enseignante ignore qui il est. Intérieurement, elle le qualifie de « chevalier masqué » parce qu'il porte un casque qui lui cache le visage. Un jour, Marie l'a appelé son « professeur de magie ».

Babette demande :

– C'est ton père, sur la moto ?

– Non. Mon papa est avec ma maman.

– C'est ton grand frère ?

Marie fait oui de la tête.

– Aimerais-tu qu'il vienne te chercher ?

– Il ne peut pas, il travaille.

– Alors c'est nous, tes amis de la classe, qui allons te guérir. Tu veux bien ?

– Mais il n'y a pas de bain, ici !

– Ici, tu vas voir, il y a tout ce dont on a besoin.

– Je ne veux pas me baigner devant les autres. Ils se moqueront de moi.

– Ne t'inquiète pas, Marie. Fais-moi confiance, j'ai une bonne idée.

Marie s'essuie les yeux. Hugo, qui vient de regrimper sur sa chaise car la ronde est finie, s'écrie :

– Hé, regardez ! Il y a un bourgeon sur le cactus !

Chapitre 4

Le jeu de la petite sirène

Élisabeth rassemble les enfants en frappant dans ses mains.

– Que diriez-vous de fêter l'anniversaire de Marie ?

Nathalie sautille de joie. Elle imagine un grand gâteau au chocolat.

– Nous n'avons pas de gâteau à manger, ma chérie. Mais il y a beaucoup d'autres choses à faire.

Hugo a une idée :

– Nous pourrions aller pique-niquer sur le toit de l'école !

Jérémie blêmit :

– C'est trop dangereux ! On risquerait de tomber !

Nathan ajoute :

– Et de se casser les dents !

Babette les interrompt et leur propose de jouer à la petite sirène. Tous les enfants adorent cette histoire. Ils applaudissent même s'ils ne connaissent pas encore le jeu. L'enseignante leur explique :

– Nous allons monter une pièce de théâtre. Certains joueront un rôle, d'autres prépareront les décors et les costumes.

Le projet de Babette plaît beaucoup à ses élèves. Ils en parlent entre eux et décident que pour son anniversaire, Marie Labadie doit avoir le premier rôle. Celui de la petite sirène. Ensuite, Élisabeth les aide à trouver quel personnage ils

veulent incarner et comment le représenter. Pour certains, c'est très facile.

Hugo choisit le poisson volant qui bondit hors de l'eau. Nathan sera un requin parce que ce poisson a beaucoup de dents. Daphné, un poisson-pilote, puisque qu'elle veut devenir ambulancière. Nathalie se déguisera en baleine car cet animal passe son temps à manger.

Jérémie, quant à lui, se transforme en bernard-l'hermite. La casserole qu'il s'enfonce sur la tête lui servira de coquille et le protégera des dangers. Gaston opte pour le rôle du dauphin, car il aime la force et la vitesse. Et Sophie, très coquette, se transforme en bouquet d'algues en attachant des bandelettes de papier vert à ses cheveux.

Tous les enfants s'affairent quand, soudain, Martin lève la main :

– Et comment créera-t-on la mer ?

Voilà la question qu'Élisabeth attendait. Elle répond sans hésitation :

– Dans mon armoire secrète, il y a une petite piscine gonflable. Nous la placerons au milieu du coin de lecture et nous la remplirons. Nous nous installerons autour, sur les coussins, nous plongerons

nos pieds dans l'eau et nous ferons semblant d'être dans l'océan.

Les enfants sont ravis. Babette demande à Marie Labadie :

– Et toi, qu'en penses-tu ?

Marie cesse de grelotter et son visage s'illumine. Hugo, qui a fini de fabriquer ses ailes en tulle blanc, monte sur une chaise et s'exclame :

– C'est incroyable ! Le cactus a fleuri !

Chapitre 5

Une histoire en neuf photos

Maintenant, les enfants sont rentrés chez eux. Seule dans la classe, Babette repense au jeu de la petite sirène qui a rendu à Marie Labadie sa joie et ses couleurs. De plus, tous ses élèves ont bien participé. Elle est fière d'eux. Pourtant, Élisabeth n'est pas entièrement satisfaite. En sortant le carnet bleu du sac de Marie, elle a cru qu'enfin elle découvrirait le secret de la petite fille. Mais il n'en est rien. Au contraire,

le mystère entourant l'origine de Marie Labadie est plus grand que jamais.

Élisabeth range sa classe tout en réfléchissant. Pourquoi Marie a-t-elle chaud et froid le jour de son anniversaire, comme si elle avait la grippe ? Comment l'eau chaude peut-elle la guérir ? Qu'est-il arrivé à la naissance de la fillette ? Elle aurait voulu le demander au « chevalier masqué » mais elle n'en a pas eu l'occasion. Elle surveillait les autobus quand il est venu chercher Marie.

Il y a autre chose encore. Le cactus. Élisabeth a du mal à l'admettre mais aujourd'hui, il suivait clairement les humeurs de Marie Labadie. Elle s'en approche et l'observe de plus près. Et qu'aperçoit-elle à ses pieds, sur le plancher ? Le carnet bleu ! Marie l'a oublié ! À moins qu'elle l'ait laissé là exprès ?

Babette le ramasse et le retourne. Elle hésite. Puis, incapable de résister, elle l'ouvre et découvre avec

étonnement que ce n'est pas un livre de naissance ordinaire. C'est un album de photos. Elle les regarde les unes après les autres.

- Un bateau.
- Un homme et une femme en habit de plongée.
- L'homme et la femme sous l'eau, en train de nager.
- La femme seule. Elle est enceinte. Son ventre est tout rond.
- L'homme avec un grand garçon. Ils pêchent.
- De l'eau bleu clair. Rien d'autre.

• De l'eau trouble et, dans ce flou verdâtre, un nouveau-né.
• Le papa qui aide la maman à sortir de l'eau avec son bébé.
• Le papa et le garçon sur le pont du bateau, à côté d'une petite bassine rouge où la maman baigne le bébé.

En un instant et neuf photos, Élisabeth vient de découvrir l'histoire de Marie Labadie. La petite est née dans l'eau. Elle a quitté le ventre tiède de sa mère pour entrer dans

l'eau froide de l'océan. Puis sa maman l'a tout de suite replongée dans un bain d'eau chaude.

Marie est une enfant extraordinairement sensible. Quand vient le jour de son anniversaire, elle revit le choc de sa naissance. Alors sa maman, qui l'aime à coup sûr bien tendrement, lui redonne le même bain chaud que sur le pont du bateau.

Babette est émue. Elle sait maintenant que Marie ne vient ni d'une autre planète ni d'un autre pays. Elle appartient seulement au monde des grands navigateurs. Ces gens-là voyagent beaucoup. Un jour, ils sont là, le lendemain, ils n'y sont plus. Marie n'est que de passage dans son école. Elle finira par aller rejoindre ses parents sur l'océan. Et elle continuera de recueillir un peu partout ces objets fascinants qu'elle transporte dans son sac à dos.

Un peu triste, l'enseignante s'apprête à remettre le carnet là où elle l'a trouvé. Mais soudain, un détail lui revient. Elle regarde de nouveau la photo de la famille sur le bateau. Au loin, on aperçoit la terre. Une grande étendue plate de sable clair. Et là, sur la droite, se dresse un cactus en fleur. Marie est née dans un endroit où la mer et le désert se touchent. Comme c'est joli !

Puis Élisabeth y pense : c'est joli, mais est-ce que ça existe vraiment, un tel pays ? Cette fois, pas question de chercher la réponse. Elle fait un clin d'œil au cactus et rentre chez elle en sifflotant joyeusement.

Il n'est peut-être pas fini, le mystère Marie Labadie...

Dans la même série

Réglisse solaire

Gouttes d'océan